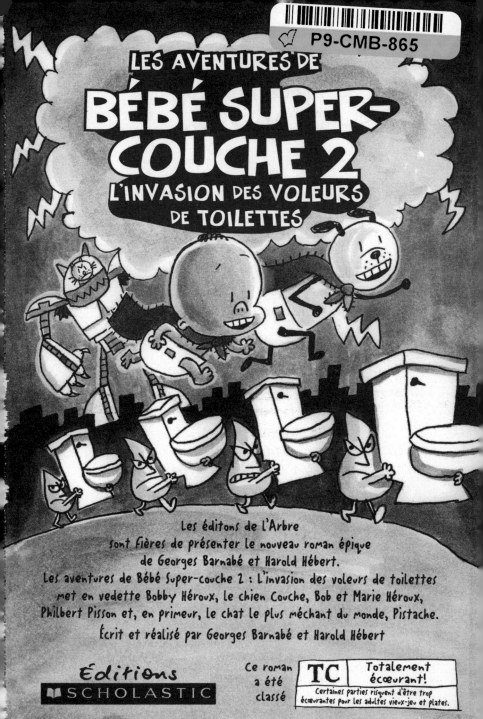

LES AVENTURES DE
BÉBÉ SUPER-
COUCHE 2
L'INVASION DES VOLEURS DE TOILETTES

P9-CMB-865

Les éditons de l'Arbre
sont fières de présenter le nouveau roman épique
de Georges Barnabé et Harold Hébert.
Les aventures de Bébé Super-couche 2 : L'invasion des voleurs de toilettes
met en vedette Bobby Héroux, le chien Couche, Bob et Marie Héroux,
Philbert Pisson et, en primeur, le chat le plus méchant du monde, Pistache.

Écrit et réalisé par Georges Barnabé et Harold Hébert

Éditions
SCHOLASTIC

Ce roman
a été
classé

TC | Totalement
écœurant!

Certaines parties risquent d'être trop
écœurantes pour les adultes vieux-jeu et plates.

Pour Madison
Mancini

Avis aux parents et enseignants
Les fôtes d'ortograf dent les BD
de Georges et Harold son vous lues.

Adaptation Française d'Isabelle Allard

ISBN 978-1-4431-1442-4
Titre original :
Super Diaper Baby 2 - The invasion of the potty snatchers

Édition publiée par les Éditions Scholastic,
604, rue King Ouest, Toronto (Ontario) M5V 1E1

5 4 3 2 1   Imprimé au Canada 121   11 12 13 14 15

L'histoire épique derrière l'histoire épique de

BÉBÉ SUPER-COUCHE

de Georges B. et Harold H.

Il était une fois 2 enphants super appelés Georges et Harold.

Ils ont écrit un livre extra appelé *Les aventures de Bébé Super-couche*.

Y a pas plus super que nous!

Moi aussi!

Maleureuseman, leur méchant directeur, M. Bougon, l'a lu.

C'est l'histoire d'un bébé qui est tombé par aksidan dans du jus pour superpouvoirs.

Il l'a bu et a eu des superpouvoirs.

Un chien a aussi bu ce jus.

Il est devenu superpuissant, lui aussi!

Le bébé et le chien sont de grands amis et vivent avec leur maman et leur papa.

Et ils portent des couches!

Un jour, un méchant a voulu voler les pouvoirs de Bébé Super-couche...

Ça va être super!

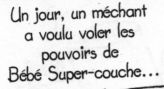

... mais il a fait une haireur et s'est transformé en crotte!

Hé!

Puis il a touché à des déchets nus cléaires et est devenu encore plus gros et méchant!!!

Grrrrr

Centrale Nve cléaire

Bébé Super-couche et son chien Couche sont entrés en action!

On va t'avoir, shérif Crotteau!

Oh non!

Ils ont pris un gros rouleau de papier de toilette sur un imeube...

Papier de toilette Robert

Oh non!

BOB

... ont enveloppé le shérif Crotteau...

... et l'ont apporté au pays des crottes!

Bienvenue sur URANUS

Bravo pour Bébé Super-couche et le chien Couche!

6

Mais alors...

Tenez! Lisez ce livre!

CLASSEUR

C'était mon livre préféré quand j'étais un jeune idiot comme vous!

Le grincheux qui voulait gâcher Noël

Hé, pourquoi les 7 dernières pages sont arrachées?

C'est plus réalisse comme ça!!!

Georges et Harold ont lu le livre et ont été inspirés.

Hé, ce livre n'est pas mal!

Ouais!

Le grincheux qui voulait gâcher Noël

8

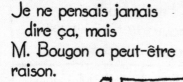

Donc, Georges et Harold ont créé leur tout nouveau roman épique, Bébé Super-couche 2.

Je parie que M. Bougon va être content.

Moi aussi.

Ils se trompaient.

Qu'est-ce que...

Ce livre est encore plus grossier que l'autre!

RETENUE

Voilà coman Bébé Super-couche 2 a été inventé.

On espère, une fois encore, que tu l'aimeras plus que M. Bougon.

Chapitres

Préfasse................... 3

1. Une journée au parc ... 13

2. Pendant ce temps...... 37

3. Le problème de papa ... 61

4. Partie 1 : Entretemps ...75

4. Partie 2 : Le pipi qui voulait voler des toilettes...... 85

5. La suite................119

6. La revanche de Rip Van Piss 151

7. La fête des Pères.......173

Chapitre 1
Une journée au parc

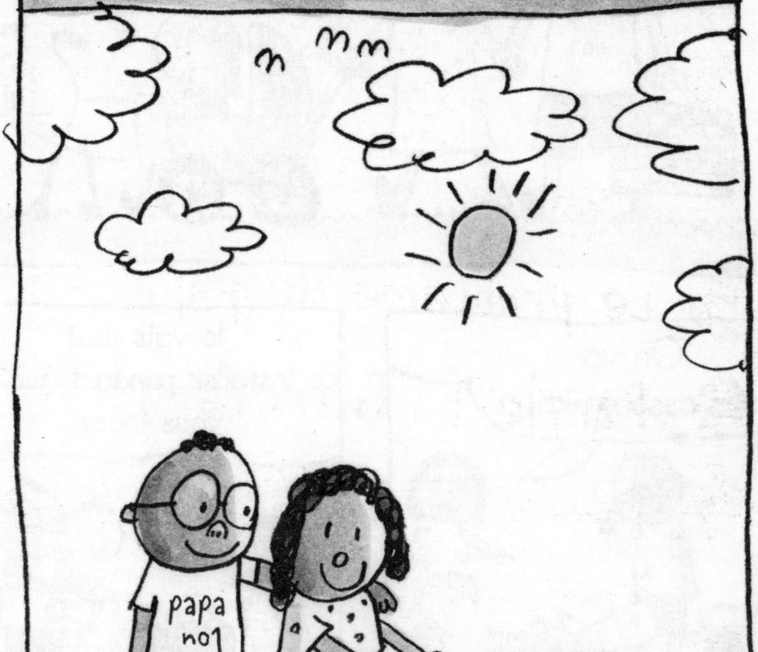

Un jour, la famille Héroux est allée
faire un pikenike au parc.

On va
s'asseoir ici.

Je vais tout
installer pendant que
vous jouez.

À quoi
veux-tu
jouer,
Bobby?

Moi jouer
avion avec
papa.

Avertisman

Les pages de tourne-o-rama
suivantes commencent
de façon inoffensive, mais
deviennent violentes (et même
très violentes) par la suite.

POUR TOURNEURS DE PAGES AVERTIS

Tourne-o-rama

Voici comment ça marche!

Étape nº 1

Place la main gauche sur la zone marquée « MAIN GAUCHE » à l'intérieur des pointillés. Garde le livre ouvert et bien à plat.

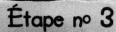

Étape nº 2

Saisis la page de droite entre le pouce et l'index de la main droite (à l'intérieur des pointillés, dans la zone marquée « POUCE DROIT »).

Étape nº 3

Tourne rapidement la page de droite dans les deux sens jusqu'à ce que les dessins aient l'air animés.

(Pour plus de plaisir, ajoute tes propres effets sonores!)

Tourne-o-rama 1

(pages 19 et 21)

N'oublie pas de tourner seulement la page 19.

Assure-toi de pouvoir voir les dessins aux pages 19 et 21 en tournant la page.

Si tu la tournes assez vite, les dessins auront l'air d'un seul dessin animé.

N'oublie pas de faire tes propres effets sonores!

main gauche

L'avion descend…

pouce
droit

L'avion monte!

Tourne-o-rama 2

N'oublie pas de tourner seulement la page 23. Assure-toi de pouvoir voir les dessins aux pages 23 et 25 en tournant la page. Si tu la tournes assez vite, les dessins auront l'air d'un seul dessin animé.

N'oublie pas de faire tes propres effets sonores!

main gauche

L'avion descend...

pouce
droit

L'avion monte!

Papa aimé ça?

N-n-non! Fini l'avion!

Maman!

Papa bobo!

Mets ce sac de glace sur ta tête.

padon papa.

Ça va, fiston. C'était un aksidan.

Maintenant, mangeons le bon pique-nique de maman.

Tout à coup...

Hé, monsieur!

Un gros méchant a volé ma poupée. Pouvez-vous m'aider?

Bien surre!

Attendez, M. Héroux...

... le chien Couche va s'en occuper!!!

Je vais écraser ta poupée idiote avec ma roche!

Oh non, ti-cul!

Aah!

SWICHE

28

29

Les Héroux commencent à manger leur pique-nique.

Mais soudain...

Hé, monsieur...

Notre ballon a atterri sur un toit. Pouvez-vous nous aider?

Bien surre.

papa no1

Attendez, mon papa a un bobo.

papa no1

Bébé Super-couche va vous aider!

Finalmen, les Héroux reviennent manger leur pique-nik.

Mais soudain...

Hé, monsieur...

Mon fils a cassé son gros orteye. Pouvez-vous l'emmener à l'hôpitalle?

Bien surre!

Attendez! Ça va prendre trop de temps!

33

Ce soir-là, chez les Héroux...

Chéri, qu'est-ce qu'il y a?

Oh! Rien. C'est juste que...

... c'est dur d'avoir deux superhéros dans la famille.

Ils sont meilleurs que moi dans tout!

Je me sens vraiment « pas bon ».

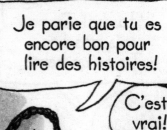

Je parie que tu es encore bon pour lire des histoires!

C'est vrai!

J'avais oublié que je suis bon pour ça!

Je vais le faire tout de suite!

papa no1

Bobby?

Chambre de Bobby

Toc! Toc!

papa no1

Je vais te lire ton histoire préférée.

Méca-crapaud et Robotron

Non, papa. Moi lire pour toi ce soirre.

Ha, ha! Tu ne sais pas lire. Tu es un bébé!

Il peut lire. Le jus pour superpouvoirs l'a rendu super intèlijan!!! Il s'est appris lui-même à lire ce matin!

Et alors...

... non! a crié Méca-crapaud. Tu devras affronter mon armée de robots croassants avant!

Chapitre 2

Pendant ce temps

Voici le Dr Philbert Pisson et son méchant chat Pistache. Le Dr Pisson est celui à gauche avec la barbe et la calvitie masculine. Pistache est celui à droite, avec les rayures et la queue.

N'oublie pas...

... ce soir, on va voler la banque grâce à ma nouvelle invention : le Liquidateur 2000!

Il transforme tout en EAU!!!

Il réorganise les molécules!

Et puis...

Tu as mauvaise haleine.

39

41

44

45

46

Hé, Pistache! Prends un sac et remplis-le avec l'argent!

Espèce d'abruti!

Ouache! C'est tout mouillé!

C'est TP, pas MP.

Plus tard, dans leur repaire diabolique au sommet d'une colline...

Je suis riche! Je suis riche!

Sais-tu quoi? J'aime ça, être de l'eau!

C'est plus facile pour voler.

En plus, je peux me cacher n'importe où.

Tu vois? J'ai l'air d'une flaque d'eau! Tu ne peux même pas me voir!

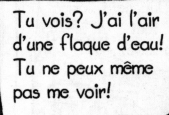

Mais je peux sentir ton haleine!

Et puis après? J'ai des super-pouvoirs!

48

49

ploc
ploc
ploc

Alors? Qu'en penses-tu?

Sérieusement, l'ami, tu devrais faire quelque chose pour ton haleine.

VAS-TU ARRÊTER DE M'ACHALER AVEC ÇA?

C'est juste que...

Et l'avantage d'être fait en eau, c'est que...

je n'aurai plus à payer la taxe d'eau!

EN TOUT CAS

La ville a coupé l'eau et j'ai soif!

C'est TP, pas MP.

Qu'est-ce que je vais boire?

Écoute, le nono! J'ai volé des banques toute la nuit! Arrête de m'achaler!

$

Je vais me coucher!

AAAAH!

Aaaaaaah!

Tourne-o-rama 3

Si tu as déjà oublié comment ça marche, consulte un médecin. Après, va à la page 17 pour plus d'instruksions.

main gauche

Buvons le docteur Pisson

pouce
droit

Buvons le docteur Pisson

slurp
slurp
slurp
slurp
slurp

slurp
slurp
slurp
slurp
slurp

slurp
slurp
slurp
slurp
slurp

Aaaaah!
Ça fait du bien!

Maintenant,
au dodo!

ache

ZZZZZ

Pistache

6 heures
plus tard...

REPAIRE
DIABOLIQUE

59

Chapitre 3

Le problème de papa

Tourne-o-rama 4

main gauche

La main dans le sac

pouce
droit

La main dans le sac

Pourquoi papa ne se sent pas important?

Je ne sais pas. Il se sent moins brave et moins fort que nous.

Après tout, on est des superhéros, et pas lui.

Au secours! Ce gars a volé mon auto!

Ha! ha!

Tourne-o-rama 5

main gauche

Chien d'arrêt

pouce
droit

Chien d'anvel

Chien d'arrêt

Tourne-o-rama 6

main
gauche

Vide-poches

pouce
droit

Vide-poches

Chapitre 4
(Partie 1)

Entretemps

REPAIRE
DIABOLIQUE

Hum... Réfléchissons.

OK, j'en ai une!

Je viens d'apprendre l'alfabai à l'envers! Veux-tu que je te le récite?

ZYXW VUTSR QONM

NON!

LKJH GFED CBA

HA! HA! Tu as oublié le p et le i!

P-I comme dans pipi, drôle de coïncidence!

80

Mais je vais me venger, Pistache! Oh oui, je vais me venger!

Je suis avec toi à un centième de pour cent, Rip Van Piss!

Vas-tu arrêter? Ce n'est pas gentil d'insulter les gens!

Mais je suis un méchant! Je ne suis pas censé être gentil!

Oh, c'est vrai.

J'avais oublié.

Hi, hi! C'est super d'être méchant!

Chapitre 4 (Partie 2)

Le pipi qui voulait voler des toilettes

par le
Dr Georges
et le
Dr Harold

Ce soir-là, Rip Van Piss
était fou de rage
en contemplant
les maisons du village.

À quoi était due
cette colère terrifiante?
Était-ce à cause
de son haleine répugnante?

86

Ce grincheux était-il
d'une humeur de chien
parce que son argent
ne servait à rien?

Mais la véritable raison,
à notre avis,
c'est qu'il empestait
le vieux pipi.

Qu'importe si c'était
l'haleine ou l'argent,
Rip Van Piss haïssait
tous les habitants.

Il a froncé les sourcils
avec rancœur :
« Ces idiots de la ville
se croient supérieurs!

Je vois bien qu'ils me détestent,
c'est évident.
Mais s'ils puaient le pipi,
ce serait différent!

Si tous ces crétins
sentaient mauvais,
je suis certain
qu'ils me respecteraient! »

Une idée d'enfer
lui est venue soudain
« Je sais ce qu'il faut faire »,
a ricané ce malin.

« Je vais leur donner
une bonne leçon,
à ces idiots qui sentent
tellement bon! »

Il a pris une vieille roue
et des bouts de métal,
et a construit
un engin infernal.

Il l'a pourvu
de mâchoires diaboliques,
de griffes pointues
et d'une queue métallique.

Après 24 heures
de travail acharné,
le Robo-Minou 3000
était terminé!
« Maintenant, il me faut
quelqu'un de méchant
pour prendre les commandes
de mon engin géant. »
Il a saisi son chat
par la peau du cou
et l'a attaché bien serré
dans le Robo-Minou...

... puis ces deux vilains sont partis dans la nuit.

Rip Van Piss a ri.
Puis il s'est évaporé
et s'est transformé
en nuage de pipi...

Il y a eu un orage
et des coups de tonnerre,
une pluie de pipi
est tombée sur la Terre.

Les gouttes
jaunes sont entrées
par les cheminées,
dans toutes les maisons,
prêtes à remplir leur mission.

Une clé anglaise,

des boulons
à desserrer,

TCHAC

et voilà,
les toilettes
étaient
démontées!

99

Les gouttes d'urine
ont traversé la ville
pour rejoindre
le Robo-Minou 3000.

Crac, croc! Le robot a mâché
toutes les toilettes,
les réduisant aussitôt
en mille miettes!

Mais dans une petite maison,
au coin d'une petite rue,
une goutte de pipi a entendu
deux petits pieds nus.

La goutte de pipi s'est tournée
vers le bruit
et a vu un p'tit gars
à l'air surpris.

Le bambin a crié :
« Qu'est-ce que vous faites?
Pourquoi emportez-vous
notre toilette? »

Et qu'a répondu la goutte
au tout-petit?
Évidemment, cette vilaine
a menti!

« Ta toilette coule,
car la chasse est bloquée.
Je l'emporte chez moi
pour la réparer.

Je vais la nettoyer
et la faire briller.
Quand j'aurai fini,
je vais la rapporter. »

L'enfant a écouté la goutte
et l'a crue.
Il est allé se recoucher
en buvant du jus.

Le bébé s'est rendormi
en souriant
et la goutte est repartie
en ricanant.

Elle a apporté la toilette
au Robo-Minou 3000,
avant d'aller en voler d'autres,
partout dans la ville.

Les gouttes ont continué
leur va-et-vient,
ne s'arrêtant
que le lendemain matin.

109

Après le départ
du minou diabolique,
les villageois se sont réveillés
pris de panique!

110

« Nos toilettes sont parties,
qu'est-ce qu'on va faire?
On a envie de faire pipi,
de quoi on a l'air? »

Ils ont croisé les jambes
et ont serré les dents
en se tortillant
et en se dandinant.

Tous les gens de la ville
dansaient en rond,
en criant :
« On va mouiller nos pantalons! »

Ils ont trépigné toute la journée
comme ça,
comme on le voit
dans ce tourne-o-rama : →

main
gauche

Danse suprême
de l'envie de pipi

pouce
droit

Danse suprême
de l'envie de pipi

Bientôt, un liquide jaune
s'est mis à couler
le long de leurs jambes
et dans leurs souliers.

Ils restaient debout
dans leurs flaques d'urine,
une odeur infecte
dans les narines.

Chapitre 5

La suite

Bientôt, les cris tragiques des villageois mouillés ont atteint les oreilles de Pistache et des gouttes de pipi.

Ouinnnn!

Hé, les copines! Réunissons-nous!

D'ac!

La dernière est un œuf pourri!

Les gouttes ont formé une grosse flaque...

... et tu-sais-qui est sorti de la flaque!

Ha, ha, ha!

Ho, ho, ho!

Hi, hi, hi!

Tout le monde sent le pipi!

Maintenant, ils comprennent ce que je vis!

Hé, cette histoire de faire des rimes, c'est fini!

Oh... Désolé.

Quelle est la prochaine étape de notre plan?

La prochaine étape?

Ouais, qu'est-ce qu'on fait après?

Hum... Je ne sais pas. Veux-tu regarder un film?

C'était JUSTE ÇA, ton plan?

Quoi?

Veux-tu dire qu'on s'est donné tout ce mal juste pour que les gens fassent pipi dans leurs pantalons?

Heu... ouais.

AAAAAAAH!

C'est le plan diabolique le plus nul que j'aie jamais entendu!

Si tu es si intelligent, tu n'as qu'à en trouver un autre!

Très bien!

Hum... Réfléchissons.

Personne n'a de toilette...

Tout le monde doit faire pipi...

J'ai trouvé!!!

Entretemps, chez les Héroux...

On s'est fait voler!

Toutes les toilettes ont été volées et je dois faire pipi!

Moi aussi!

Essayez donc une paire de couches!

Ça marche pour nous!

Heu... merci.

COUCHES

Et puis...

Aaaaaaaah!

Ouuuuuufff!

Hourra pour les couches!

CLAP!

Tout à coup...

Nous interrompons cette émission pour vous dire une chose inportente!

5 JOURNAL TÉLÉVISÉ

Comme vous savez, toutes les toilettes ont été volées.

5 JOURNAL TÉLÉVISÉ

Comme on n'a plus d'endroit où uriner, le maire a vidé la piscine de la ville.

Vous pouvez faire pipi dans la piscine jusqu'à la fin de cette crise!

La réaction des enfants :

C'est super!

Je fais pipi dans la piscine depuis des années. Maintenant, je ne me sentirai plus coupabe!

Moi non plus!

Autre nouvelle : un chat robotique géant vole toutes les couches de la ville!

Il cambriole tous les magasins.

COUCHES

SOLDES

Qui va nous sauver?

C'est un contrat pour nous!

Hourra!

Venez acheter des couches jetables!

Achetez-en 2, la 3e est gratuite!

Mouillez et jetez!

EN TOUT CAS...

J'en veux 10!

Une douzaine!

Vite!

Aïe! Aïe!

Gardez-en pour moi!

Ha, ha! C'est génial!

COUCHES

COUCHES

Je gagne plein d'argent!

128

129

131

pouf

zouk

ka-zoum

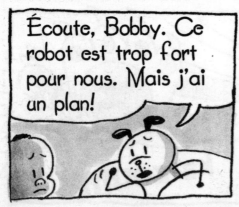

138

Gaga d'herbe à chats

143

Gaga d'herbe à chats

POP

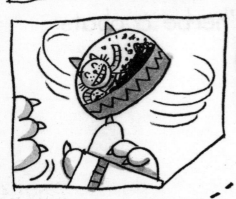

Tourne-o-rama

main gauche

Complètement gaga

pouce
droit

Complètement gaga

TCHAC

Lance...

et compte!

crac

ENTONNOIR
DÉPÔT

OUVERT
24 / 24

ENTONNOIRS
DE TOUTES
TAILLES

Mettons
ce félin
cambrioleur
en prison.

Moi? En prison?

150

Chapitre 6

La revanche de Rip Van Piss

AAAAAAAAH!

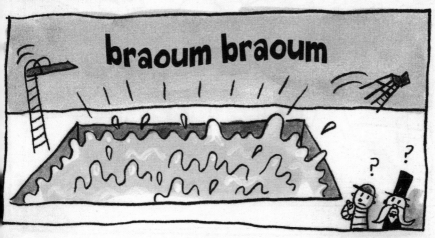

Je revis!

156

ET ALORS...

Où est ce chat idiot?

En prison! Tu as affaire à nous, maintenant!

Ah ouais?

tchou tchou tchou

158

161

Tourne-o-rama →

main gauche

Destructeur d'édifice

pouce droit

Destructeur d'édifice

Dans les ruines de l'immeuble, Bobby a une idée.

Pousse, Bobby, pousse!

Pousse ankore plus fort!

Bobby et le chien Couche poussent...

... et les choses se mettent lentement à bouger.

168

171

Pendant ce temps, chez les Héroux...

Je suis inquiet pour Bobby et le chien Couche... Où sont-ils?

Je ne sais pas, mon chairi.

Boum

179

Ensuite, Bobby et le chien Couche ont ramené la Terre à sa place...

ZiP

... et sont rentrés chez eux pour faire la fête!

Hé, il ne neige plus!

Est-ce que je peux fotografier le papa héros pour mon journal?

Oui.

Hourra!

main gauche

Souriez!

pouce
droit

Souriez!

LIS LES DEUX PREMIÈRES AVENTURES ÉPIQUES DE

GEORGES ET HAROLD!

Plus rapide qu'une poussette, plus puissant que la colique et capable de sauter par-dessus de grands immeubles sans laisser de p'tits cadeaux puants sur son passage : c'est Bébé Super-couche!

Voici Ook et Gluk, deux garçons des cavernes très cool sortant directement de l'âge de pierre! Ils voyagent dans le temps avec leur petit dinosaure Lili pour sauver leur village préhistorique!

DANS LA COLLECTION CAPITAINE BOBETTE :

LES AVENTURES DU CAPITAINE BOBETTE

Capitaine Bobette et la bagarre brutale
de Biocrotte Dené, 1re partie

Capitaine Bobette et la bagarre brutale
de Biocrotte Dené, 2e partie

Capitaine Bobette et la colère
de la cruelle madame Culotte

Capitaine Bobette et la machination machiavélique
du professeur K.K. Prout

Capitaine Bobette et l'attaque des toilettes parlantes

Capitaine Bobette et les misérables mauviettes
du p'tit coin mauve

Capitaine Bobette et l'invasion des méchantes bonnes femmes
de la cafétéria venues de l'espace

Capitaine Bobette et son album de jeux extra-croquant

Capitaine Bobette et son tout nouvel album
de jeux extra-croquant n° 2

LES ROMANS EN BANDES DESSINÉES DE GEORGES BARNABÉ ET HAROLD HÉBERT

Les aventures de Bébé Super-Couche

Les aventures de Ook et Gluk :
Les Kung-Fu des cavernes en mission dans le futur